T0055924

CLAUDE DEBUSSY

Quatre nouvelles mélodies (1882)

pour voix et piano

L'Archet, Le matelot qui tombe à l'eau,
Romance (Non, les baisers d'amour), Les Elfes

Édition de Denis Herlin

DURAND

Avertissement

Cette édition critique de *Quatre nouvelles mélodies (1882)* constitue un tiré à part des ŒUVRES COMPLÈTES DE CLAUDE DEBUSSY. Elle sera ultérieurement intégrée dans le premier volume de la série Mélodies (Série II, volume 1).

Note

This critical edition of *Quatre nouvelles mélodies (1882)* is an excerpt from the COMPLETE WORKS OF CLAUDE DEBUSSY. It will be inserted in the first volume of series Melodies (Series II, volume 1).

Remerciements

L'éditeur tient à remercier vivement les premiers interprètes de ces mélodies, Philippe Cassard et Natalie Dessay, pour leurs conseils et leurs suggestions, ainsi qu'Edmond Lemaître et Jean-Claude Amacker pour leurs relectures attentives.

© 2012 Éditions DURAND

Tous droits réservés pour tous pays.
All rights reserved.

Imprimé en Italie - Printed in Italy
D. & F. 16013

Le Code de la propriété intellectuelle n'autorisant, aux termes de l'article L. 122-5 paragraphes 2 & 3, d'une part, que « les copies ou reproductions réservées à l'usage privé du copiste et non destinées à une utilisation collective » et, d'autre part, que « les analyses et courtes citations justifiées par le caractère critique, polémique, pédagogique, scientifique ou d'information de l'œuvre à laquelle elles sont incorporées », toute reproduction intégrale ou partielle faite sans le consentement de l'auteur ou de ses ayants droit ou ayants cause est illicite » (article L. 122-4). Cette reproduction, par quelque procédé que ce soit, constituerait donc une contrefaçon sanctionnée par les articles 425 et suivants du Code pénal.

AVANT-PROPOS

Si les mélodies de la maturité sont bien connues, notamment les *Ariettes oubliées* ou les *Chansons de Bilitis*, celles que Debussy composa entre 1879 et 1885, alors qu'il était étudiant au Conservatoire de Paris, restent relativement ignorées. Pourtant, ces dernières, qui, pour la plupart d'entre elles, demeurèrent inédites de son vivant [1], représentent la moitié du corpus que le musicien légua à la postérité, soit une cinquantaine sur la centaine de mélodies que l'on dénombre. C'est dire le rôle déterminant que joue dans sa formation de compositeur la mise en musique de textes poétiques.

Les quatre nouvelles mélodies du présent volume viennent donc enrichir cet ensemble déjà imposant. Leur découverte est d'autant plus surprenante que nulle trace de ces manuscrits n'avait été repérée à ce jour. Seules des esquisses développées pour deux d'entre elles [2] et des fragments plus ou moins importants pour les deux autres [3], tous conservés dans un même carnet, avaient été identifiées par François Lesure [4].

Contrairement à de nombreux manuscrits de mélodies de jeunesse, dédiés et donnés à Marie Vasnier qui en fut l'inspiratrice, ceux-ci ont été offerts, avec six autres [5], à Henry Kunkelmann (1854-1922), personnage dont le nom n'apparaissait pas jusqu'à ce jour parmi les proches du compositeur. On ignore dans quelle circonstance Debussy le rencontra. Mais on peut émettre l'hypothèse qu'il fit sa connaissance dans la classe de César Franck, vers 1880-1881. Bien que ne figurant pas parmi les élèves du Conservatoire, Henry Kunkelmann, disciple de Franck [6], a sans doute été auditeur libre à la classe d'orgue. Natif de Reims, ce wagnérien passionné fit à plusieurs reprises le voyage à Bayreuth (1876, 1886, 1888, 1892, 1896). Proche de Vincent d'Indy qui lui dédia en 1906 son poème symphonique, *Un Jour d'été à la montagne* op. 61, Kunkelmann publia des œuvres musicales sous le pseudonyme de Henry Kerval, « espérance de l'éditeur Richault », comme le note non sans humour Willy [7]. Malheureusement, étant donné qu'une éventuelle correspondance entre Debussy et Kunkelmann n'a pas été retrouvée, il demeure difficile de se faire une idée de leur relation, laquelle fut apparemment de courte durée. En effet, les dix manuscrits que possédait ce dernier concernent des œuvres écrites entre 1881 et 1882. Cité dans *Le Ménestrel* [8] comme un amateur d'autographes, Kunkelmann les préserva soigneusement et les légua à sa mort à son ami le compositeur et organiste Gabriel Saint-René Taillandier (1861-1931), qui avait été également élève de César Franck. Ils sont aujourd'hui conservés dans une collection particulière.

Bien que ne comportant pas de date, les manuscrits de *L'Archet*, du *Matelot qui tombe à l'eau* et de *Romance* ont une signature identique :

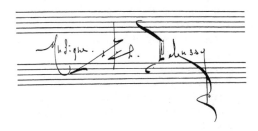

Selon la classification établie par Yves Lado-Bordowski, celle-ci se rapproche d'une autre apposée sur un manuscrit d'une mélodie datée du 12 avril 1882, *Le Lilas* [9]. La signature évoluant en septembre 1882, il est fort probable que la mise au net de ces trois manuscrits se situe entre avril et la fin août 1882, date du départ de Debussy pour Moscou. Quant au manuscrit des *Elfes*, il offre une signature sensiblement différente de celle des trois précédents :

Elle n'est malheureusement pas répertoriée dans la liste de Lado-Bordowski. Néanmoins, en raison de la forme du « A » plus arrondie, similaire à celle du manuscrit d'*En sourdine* du 16 septembre 1882 [10], elle doit être sans doute postérieure à la précédente. Peut-être date-t-elle de l'été 1882 ? De plus, la pré-

---

1. De cet ensemble, seule *Nuit d'étoiles* fut publiée en 1882 par la Société Artistique d'Éditions d'Estampes et de Musique.
2. *L'Archet* et *Le matelot qui tombe à l'eau*. Voir Description des sources, p. 24.
3. *Romance* et *Les Elfes*. Voir Description des sources, p. 24-25.
4. Ces esquisses et fragments sont conservés dans un carnet d'esquisses conservé sous la cote Ms. 20 632 (1) (Paris, Bibliothèque nationale de France, département de la Musique). Voir François Lesure, *Claude Debussy Biographie critique suivie du catalogue de l'œuvre*, Paris, Fayard, 2003 : *L'Archet* (22/[46]), p. 479 ; [*Les Baisers d'Amour*] = *Romance* (23/[48]), p. 479 ; [*Chanson triste*] = *Le matelot qui tombe à l'eau* (24/[47]), p. 480 ; *Les Elfes* (25), p. 480.
5. Hormis ces quatre manuscrits, Debussy en offrit six autres à son ami, pour lesquels l'on connaissait déjà d'autres sources : *Rêverie* (3/[8]), *Rondel chinois* (11/[17]), *Les Roses* (28/[13]), *Pierrot* (28/[13]), *Fête galante* (31/[23]) et *Chanson des brises* (32/[35]).
6. Joël-Marie Fauquet, *César Franck*, Paris, Fayard, 1999, p. 962.
7. L'Ouvreuse [Henry Gauthier-Villars dit Willy], *Rythmes et rires*, Paris, Bibliothèque de la Plume, 1894, p. 99 (12 mars 1894). Le 12 février 1894 (p. 77), Willy note également : « Je constate, à la sortie, la présence du ténébreux Henry Kerval (Kunkelmann pour ces dames) [...]. »
8. *Le Ménestrel*, 30 septembre 1888, p. 317.
9. Yves Lado-Bordowski, « La chronologie des œuvres de jeunesse de Claude Debussy (1879-1894) », *Cahiers Debussy*, n° 14 (1990), p. 15.
10. Lado-Bordowski, *id.*, p. 15 et 19.

sence dans le carnet Ms. 20 632 (1) d'esquisses moins développées pour *Les Elfes* renforce l'hypothèse d'une date de composition située après *L'Archet*, *Le matelot qui tombe à l'eau* et *Romance*. Quoi qu'il en soit, ces quatre mélodies ont été visiblement conçues dans un temps relativement rapproché.

Parmi les spécificités de ces œuvres de jeunesse, il convient de remarquer que *Le matelot qui tombe à l'eau* est la mélodie la plus courte que Debussy ait jamais écrite (15 mesures), tandis que *Les Elfes* est la plus longue (175 mesures). Signalons aussi que la partie vocale du *Matelot qui tombe à l'eau* était originellement en clé de *fa* dans le carnet Ms. 20 632 (1), donc pour voix d'homme. Bien que notée en clé de *sol* dans le manuscrit mis au net, il n'en demeure pas moins que la tessiture vocale allant du *la₃* au *mi₅* sied mieux à un baryton qu'à un soprano. Ce serait donc la seule mélodie de jeunesse de Debussy à avoir été conçue pour ce registre.

Une autre particularité de ces mélodies réside dans le choix poétique que le jeune musicien effectua. Que Debussy jette son dévolu sur une œuvre de Leconte de Lisle (1818-1894) n'est guère surprenant. Bien qu'en général il préfère la poésie de Banville, il avait déjà mis en musique en 1881 trois poèmes extraits des *Poèmes antiques* de Leconte de Lisle (Paris, Lemerre, 1874) : *Jane*, *La Fille aux cheveux de lin* et *Églogue*. En revanche, c'est la seule fois, à notre connaissance, qu'il s'intéresse au recueil des *Poèmes barbares*. Comme le souligne Edgard Pich, cette ballade nordique exprime la douleur amoureuse : « Le "noir cheval" du fiancé [...], la "nuit brune" où il galope, les "mauvais esprits" qui hantent la forêt, la lune, divinité maléfique et magicienne, annoncent le tragique dénouement de la ballade [11]. » Quant au poème de Charles Cros (1842-1888) [12] — seul texte de cet auteur que Debussy allait mettre en musique —, il présente quelques similitudes avec *Les Elfes* : l'amour tragique d'une femme à la longue chevelure blonde pour un chevalier. Là encore la connotation fantastique n'est pas sans rappeler celle du *Conseiller Krespel* des contes d'Hoffmann : la « voix étrange, musicale » de la femme aimée va se métamorphoser en un archet fait de « ses tresses » [13].

Les deux mélodies provenant des *Poëmes de l'amour et de la mer* de Maurice Bouchor (1855-1929) sont tout aussi inhabituelles dans la production de cette période [14]. En effet, ce sont là aussi les seules poésies de Bouchor que le jeune compositeur mit en musique. Grâce au témoignage de Robert Godet, on sait que Debussy connut Bouchor avant 1889. Les deux hommes se voyaient rarement : « leurs rencontres étaient toujours souriantes », confie Godet à Georges

Jean-Aubry, et « ils sympathisaient à leur manière qui consistait, pour chacun, à n'effleurer les points sensibles de l'autre que d'un fleuret moucheté, en ces joutes courtoises où les incitait maint objet [15] ». En revanche, on ignore si, en 1881-1882, Debussy avait déjà fait la connaissance de ce poète qui s'était lié d'amitié avec Ernest Chausson dès 1873 [16]. Comme dans les poèmes de Leconte de Lisle et de Cros, l'amour constitue le thème central, mais cette fois-ci le ton s'éloigne du tragique pour devenir mélancolique, voire ironique. Comme le souligne John Clevenger, *Le matelot qui tombe à l'eau* est vraisemblablement la pièce la plus remarquable avec son utilisation du pentatonisme, son changement de couleur sur les arpèges descendants aux mesures 8 et 9, et ses sonorités de quinte dans les accords aux mesures 6-7, 10-11, 13-14 [17].

PRINCIPES D'ÉDITION

L'établissement du texte poétique de ces quatre mélodies a nécessité quelques aménagements. En règle générale, la ponctuation a été tacitement rétablie d'après l'édition que Debussy a possédée ou recopiée. Autodidacte, Debussy se montre dans sa jeunesse assez négligent lorsqu'il retranscrit les textes poétiques. Nous avons donc généralement restitué le texte littéraire, lorsque cela défigurait le sens même du poème. Toutes ces transformations sont signalées dans le commentaire critique [18]. Cependant, nous avons conservé certaines modifications de Debussy, lorsqu'elles nous semblaient être le fruit d'un choix délibéré. Celles-ci ont fait l'objet d'un commentaire dans la Description des sources et sont signalées en gras dans la section dévolue à l'Établissement et variantes du texte poétique [19].

Quant au texte musical, il suit fidèlement celui des quatre nouveaux manuscrits, sauf pour les finales muettes de la partie vocale. En effet, pour ce dernier cas, nous avons préféré adopter, dans la mesure du possible, la notation du carnet d'esquisse en maintenant la liaison entre les deux notes et en regroupant la terminaison du mot sous la première note (par exemple dans *L'Archet*, mesures 19 et 41). Toutes les altérations éditoriales sont indiquées en petit caractère. En cas d'ambiguïté, un astérisque renvoie à un commentaire dans la liste des variantes. Les autres ajouts sont signalés entre crochets. Les différences entre les esquisses achevées du carnet Ms. 20 632 (1) sont décrites dans la liste des Variantes, corrections et remarques [20]. Les changements les plus importants de cette liste sont signalés en caractère gras.

Denis Herlin

11. Edgard Pich, *Leconte de Lisle et sa création poétique, Poèmes antiques et Poèmes barbares 1852-1874*, Lyon, Imprimerie Chirat, 1975, p. 208.

12. Le poème avait été publié en septembre 1869 dans la revue *La Parodie* avec musique d'Ernest Cabaner. Il était dédié à « Richard Wagner, musicien allemand ». Gabriel Fabre et Henri Busser ont également mis en musique le texte de Charles Cros.

13. Debussy n'a pas adapté la deuxième moitié du poème dans lequel le chevalier se transforme en un pauvre homme jouant d'un violon de Crémone, lequel, à travers ces sons, ressuscitait « la morte et ses chansons ».

14. Signalons qu'en juillet 1883, Pierre de Bréville mit en musique *Le matelot qui tombe à l'eau* sous le titre de *Chanson triste*.

15. Claude Debussy, *Lettres à deux amis. Soixante-dix-huit lettres inédites à Robert Godet et G. Jean-Aubry*, Paris, Librairie José Corti, 1942, texte liminaire, p. 9-10.

16. Chausson mit en musique dix-huit textes de Bouchor, dont neuf issus des *Poèmes de l'amour et de la mer*.

17. John R. Clevenger, *The Origins of Debussy's Style*, Eastman School of Music/University of Rochester, 2002, p. 950-957.

18. Voir Établissement et variantes du texte poétique, p. 25-26.

19. Voir p. 24-25.

20. Voir p. 27-31.

FOREWORD

Most of Debussy's later melodies, especially *Ariettes oubliées* and *Chansons de Bilitis*, are very well known. His earlier melodies however, composed between 1879 and 1885 while he was still a student at the *Conservatoire de Paris*, are still relatively unknown. The majority of these remained unpublished during Debussy's lifetime [1], and yet they represent half of the body of work that the musician left for posterity, approximately fifty out of the hundred or so melodies that he composed. It is clear that the act of setting poetry to music was a determining factor in his development as a composer.

The four new melodies contained in the present volume are therefore a precious addition to an already impressive body of work. Their discovery is all the more astonishing, as no trace of the existence of these manuscripts had been previously discovered. François Lesure had only been able to identify two of the melodies [2] from various developed sketches and the other two [3] from fragments of varying length, all contained in the same notebook [4].

Contrary to Debussy's other early melodies, which were dedicated and presented to Marie Vasnier, the woman who had inspired them, these melodies, along with six others [5], were given to Henry Kunkelmann (1854-1922). This name had not previously appeared amongst those close to the composer and it remains unclear how the two men came to meet, although one can hypothesize that they were classmates together under the tutelage of César Franck sometime in 1880-1881. Although Henry Kunkelmann does not appear to have been a student at the *Conservatoire,* he was a disciple of Frank's [6] and may very well have attended his organ class as an observer. A native of Reims, Kunkelmann was a passionate Wagnerian who made several trips to Bayreuth (1876, 1886, 1888, 1892, 1896). A close friend of Vincent d'Indy, who dedicated his symphonic poem to him in 1906, (*Un Jour d'été à la montagne* op. 61), Kunkelmann published music under the pseudonym of Henry Kerval, "the great hope of the editor, Richault", as Willy notes, not without a certain sense of humour [7]. Unfortunately, given

the lack of any correspondence between Debussy and Kunkelmann, it is very difficult to get an idea of their relationship, which was apparently of short duration. Indeed, the ten manuscripts in Kunkelmann's possession were all written between 1881 and 1882. Mentioned in *Le Ménestrel* [8] as an autograph collector, Kunkelmann preserved the manuscripts carefully and he bequeathed them to his friend, the composer and organist Gabriel Saint-René Taillandier (1861-1931) who had also been a student of César Franck. Today the manuscripts are conserved in a private collection.

Although they are not dated, the manuscripts of *L'Archet, Le matelot qui tombe à l'eau* and *Romance* all have an identical signature:

According to the classification established by Yves Lado-Bordowski, this resembles the signature on *Le Lilas* [9], a melody dated from April 12, 1882. Debussy's signature evolved in September of 1882 and it is therefore highly likely that the final drafts of these three manuscripts were established sometime between April 1882 and the end of August when Debussy left for Moscow. As for the manuscript of *Les Elfes*, its signature is significantly different from the previous ones:

Unfortunately, this signature is not to be found on the list compiled by Lado-Bordowski. Nonetheless, because of the more rounded shape of the letter "A", similar to that on the manuscript of *En sourdine* dated September 16, 1882 [10], the latter signature is probably

---

1. Out of these, only *Nuit d'étoiles* was published in 1882 by the *Société Artistique d'Éditions d'Estampes et de Musique*.
2. *L'Archet* and *Le matelot qui tombe à l'eau*. See, p. 24.
3. *Romance* and *Les Elfes*. See *Description des sources*, p. 24-25.
4. These sketches and fragments were contained in a notebook, conserved under the reference Ms. 20 632 (1) (Paris, Bibliothèque nationale de France, département de la Musique). See François Lesure, *Claude Debussy Biographie critique suivie du catalogue de l'œuvre*, Paris, Fayard, 2003: *L'Archet* (22/[46]), p. 479 ; [*Les Baisers d'Amour*] = *Romance* (23/[48]), p. 479; [*Chanson triste*] = *Le matelot qui tombe à l'eau* (24/[47]), p. 480; *Les Elfes* (25), p. 480.
5. Aside from these four manuscripts, Debussy gave six others to his friend. These were already known through other sources: *Rêverie* (3/[8]), *Rondel chinois* (11/[17]), *Les Roses* (28/[13]), *Pierrot* (28/[13]), *Fête galante* (31/[23]) and *Chanson des brises* (32/[35]).
6. Joël-Marie Fauquet, *César Franck*, Paris, Fayard, 1999, p. 962.
7; *L'Ouvreuse* [Henry Gauthier-Villars a.k.a Willy], *Rythmes et rires*, Paris, Bibliothèque de la Plume, 1894, p. 99 (March 12,

1894). On February 12, 1894 (p. 77) Willy also notes: "I noticed, on the way out, the presence of the dark and handsome Henry Kerval (Kunkelmann for the ladies) [...]. "
8. *Le Ménestrel*, September 30, 1888, p. 317.
9. Yves Lado-Bordowski, "*La chronologie des œuvres de jeunesse de Claude Debussy (1879-1894)*", *Cahiers Debussy*, n° 14 (1990), p. 15.
10. Lado-Bordowski, *id.*, p. 15 et 19.

posterior to the former ones. Perhaps it dates from the summer of 1882? In addition, the sketches for *Les Elfes* that can be found in the notebook Ms. 20 632 (1) are not as developed as the others and this reinforces the hypothesis that the date of composition is later than that of *L'Archet*, *Le matelot qui tombe à l'eau* and *Romance*. Whatever the case may be, these four melodies were undoubtedly conceived in a relatively close timeframe.

Among the unique characteristics of these early works, it should be noted that *Le matelot qui tombe à l'eau* is the shortest melody ever written by Debussy (15 measures), while *Les Elfes* is the longest (175 measures). It should also be mentioned that the vocal part for *Le matelot qui tombe à l'eau* was originally in the bass clef in the notebook Ms. 20 632 (1), and therefore destined to be sung by a man. Although written in the treble clef in its final draft, it is clear that the melody, ranging from A_3 to G_5, is more suited to a baritone than to a soprano. This would therefore be the only early melody that Debussy wrote for this vocal register.

Another distinctive quality of these melodies lies in the poetic choices of the young musician. That Debussy should set his heart on the works of Leconte de Lisle (1818-1894) is hardly surprising. Although as a general rule he preferred the poetry of Banville, by 1881 he had already set three poems to music, all taken from the *Poèmes antiques* by Leconte de Lisle (Paris, Lemerre, 1874): *Jane*, *La Fille aux cheveux de lin* and *Églogue*. On the other hand, this is the only time, to our knowledge, that he took an interest in the *Poèmes barbares*. As Edgard Pich pointed out, this Nordic ballad expresses the pain and heartbreak of love: "the fiancé's 'black horse' […], as he gallops through the 'dusk', the 'evil spirits' that haunt the forest, and the moon, that baleful yet magical sorceress who predicts the tragic dénouement of the ballad [11]." As for the poem by Charles Cros (1842-1888) [12] — the only text by this author that Debussy would set to music —, it shows certain similarities to that of *Les Elfes*: a woman with long blond hair and her tragic love for a knight. Here the fantastical element is reminiscent of the *Conseiller Krespel* in the tales of Hoffmann: the "strange and musical voice" of the beloved woman is transformed into a bow made out of "locks of her hair" [13].

The two melodies based on the *Poëmes de l'amour et de la mer* by Maurice Bouchor (1855-1929) are just as unusual for work from this period [14]. Once again these are the only poems by Bouchor that Debussy would set to music. Thanks to Robert Godet's testimony, we know that Debussy met Bouchor before 1889. The two men rarely saw each other: "their encounters were always amiable", Godet confided to Georges Jean-Aubrey, and "they got on well together which consisted, for each of them, in only touching on the other's sensibilities with a buttoned foil, in courteous fencing matches that could arise at the least provocation [15]". However, for the period in question — 1881-1882 — we do not know whether Debussy had already made the acquaintance of this poet who had become friends with Ernest Chausson as early as 1873 [16]. As in the case with the poems by Leconte de Lisle and Cros, love is still the central theme, but this time the tone has progressed from tragic, to become melancholic, and at times even ironic. As John Clevenger points out, *Le matelot qui tombe à l'eau* is quite possibly the most remarkable of all, with the use of pentatonicism, the change in colour of the descending arpeggios at measures 8 and 9, and the chords voiced in fifths at measures 6-7, 10-11, and 13-14 [17].

EDITING PRINCIPLES

Establishing the poetic texts for these melodies required some adjustments. As a general rule, the punctuation has been re-established in keeping with the edition that Debussy owned or recopied. Self-educated, the young Debussy often proved negligent when transcribing the poetry. Where this tendency seems to distort the very meaning of the poem, we have therefore generally restored the original literary text. All of these changes are noted in the critical commentary [18]. We have nevertheless retained some of Debussy's modifications when they seem to have been the result of a deliberate choice. These are the object of a commentary in the Source description and are marked in bold in the section devoted to the Establishment and variants of the poetic text [19].

As for the musical text, it is faithful to the four new manuscripts, except for the final silent vowels in the vocal part. In this last case we have preferred to adhere whenever possible to the notation found in the notebook by maintaining the tie between the two notes and writing the final syllable under the first note (for example in *L'Archet*, measures 19 and 41). All of the editorial modifications are indicated in small print. When there is room for doubt, an asterisk indicates a commentary in the list of variants. The other additions are in brackets. The differences between the various sketches from the notebook Ms. 20 632 (1) are described in the list of Variants, corrections and remarks [20]. The most major changes on this list are marked in bold.

Denis Herlin

11. Edgard Pich, *Leconte de Lisle et sa création poétique, Poèmes antiques et Poèmes barbares 1852-1874*, Lyon, Imprimerie Chirat, 1975, p. 208.

12. The poem was published in September 1869 in the magazine *La Parodie*, with music by Ernest Cabaner. It was dedicated to "Richard Wagner, German musician". Gabriel Fabre and Henri Busser also set Charles Cros' text to music.

13. Debussy did not set the second half of the poem to music, where the knight transforms himself into a poor man playing a violin from Cremona. This violin, through its beautiful sound, is capable of resuscitating "death and its songs".

14. It should be noted that in July of 1883, Pierre de Bréville set *Le matelot qui tombe à l'eau* to music under the title *Chanson triste*.

15. Claude Debussy, *Lettres à deux amis. Soixante-dix-huit lettres inédites à Robert Godet et G. Jean-Aubry*, Paris, Librairie José Corti, 1942, foreword, p. 9-10.

16. Chausson set eighteen of Bouchor's texts to music, nine of which were taken from the *Poëmes de l'amour et de la mer*.

17. John R. Clevenger, *The Origins of Debussy's Style*, Eastman School of Music/University of Rochester, 2002, p. 950-957.

18. See Establishment and variants in the poetic text, p. 25-26.

19. See p. 24.

20. See p. 27-31.

Mélodies
(1882)

L'Archet	2
Le matelot qui tombe à l'eau	6
Romance (Non, les baisers d'amour)	8
Les Elfes	11

I. L'Archet

OUVRAGE PROTÉGÉ
PHOTOCOPIE
SANS AUTORISATION
même partielle
constituerait une contrefaçon

Poème de Charles Cros

Elle a-vait de beaux che-veux, blonds Comme u - ne mois-son d'a- -oût, si longs Qu'ils lui tom-baient jus-qu'aux ta - lons.

© 2012 Éditions DURAND
Paris, France

D. & F. 16013

Tous droits réservés pour tous pays

II. Le matelot qui tombe à l'eau

Poème de Maurice Bouchor

* Voir Variantes, p. 28   D. & F. 16013

III. Romance

Poème de Maurice Bouchor

Agitato

Non, les bai - sers d'a - mour n'é - veil - lent point les morts!

Bai - se l'a-mour vi - vant de ta lè - vre di - vi - ne; Et le der - nier sou -

-pir que ren - dra ta poi - tri - ne Ne se - ra point char -

-gé d'i - nu - ti - les re - mords. On ne fait point l'a -

-mour dans le lit froid des morts! On ne se cher-che

pas des yeux dans la nuit noi - re. N'en crois pas là - des -

-sus quelque an - cienne his - toi - - - - - re;

Sous terre on n'a pas plus d'a - mour que de re - mords.

Viens, ai - me - moi d'a - mour, ne pen - sons pas aux morts! Ne mon - tre pas le

ciel de ta bel - le main blan - - - che. Cueil - les - en les beaux

fruits de l'a - mour, sur __ la __ bran - che Où ne s'est pas glis -

- sé l'af - freux ver du re - mords, du re - mords.

IV. Les Elfes

Poème de Leconte de Lisle

Cou - ron - nés _____ de __ thym et de mar - jo - lai - ne,

Les El - fes joy - eux dan - - sent sur la plai - ne.

Les El - fes joy - eux dan -

- sent sur la plai - ne. _____ [_____]

Har-di che-va-lier, par la nuit se - rei - ne,

Où vas-tu si tard? dit la____ jeu-ne Rei - ne. De mau-vais es-prits han-tent

les____ fo - rêts;

Viens____ dan-ser plus tôt sur les ga-zons frais. —

Les El - fes joy-eux dan - sent sur la plai - ne.

Les El - fes joy-eux dan -

- sent sur la plai - ne. [_____]

no - ce, dit - elle_____ Je suis morte!_____ –

Et lui, la voy - ant ain - si, D'an - goisse_____ et d'a - mour

tom - be mort aus - si.

Cou - ron - nés_____ de__ thym

et de mar - jo - lai - ne, Les El - fes joy - eux dan - sent sur la plai - ne.

Les El - fes joy - eux dan - sent sur la plai - ne._

NOTES CRITIQUES

ABRÉVIATIONS

A   manuscrit autographe
L   source littéraire
OC   Œuvres complètes de Claude Debussy
inf.   inférieur
m.d.   main droite
mes.   mesure
m.g.   main gauche
sup.   supérieur

Notation des mesures et des temps :

26, 28, 30	mesures 26, 28 et 30
26-28	mesures 26 à 28
26.3	temps 3 de mesure 26, indiqué par le dénominateur de l'indication de mesure (dans une mesure à $\frac{9}{8}$, la 3e ♪ ; dans une mesure à $\frac{3}{4}$, la 3e ♩)
26.3-28.2	temps 3 de mesure 26 à temps 2 de mesure 28
26, 28/3	temps 3 des mesures 26 et 28
26, 28/1-3	temps 1 à 3 des mesures 26 et 28
26-28, 30-32	mesures 26 à 28 et 30 à 32

Notation des hauteurs :

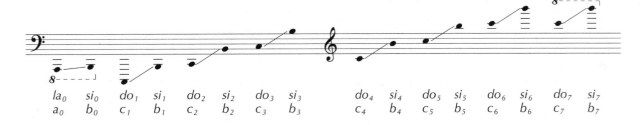

la_0	si_0	do_1	si_1	do_2	si_2	do_3	si_3	do_4	si_4	do_5	si_5	do_6	si_6	do_7	si_7
a_0	b_0	c_1	b_1	c_2	b_2	c_3	b_3	c_4	b_4	c_5	b_5	c_6	b_6	c_7	b_7

DESCRIPTION DES SOURCES

L'ARCHET
Texte poétique

L : Charles Cros, *Le Coffret de santal*, Paris, Tresse, 1879, p. 30-33. Le texte de *L'Archet* est strictement identique à la première édition (Paris, Alphonse Lemerre ; Nice, J. Gay et fils, 1873, p. 27-29). Seul le titre de la section du volume auquel celui-ci appartient est modifié : de « Divinations » (1873), il devient « Chansons perpétuelles ». Signalons aussi l'ajout d'une dédicace qui ne figurait pas dans la première édition de 1873 : « À mademoiselle Hjardemaal ». Des treize tercets du poème de Charles Cros, séparés en six sections par des fleurons, Debussy en met six en musique : 1 à 3 et 5 à 7.

Le texte poétique a été corrigé conformément à l'édition, sauf lorsque Debussy a modifié la versification (voir *infra*, Variantes du texte poétique, passages surlignés en gras et notes 5 et 7). Dans ces deux cas, la version du compositeur a été préservée.

Texte musical
Source principale

A2 : Manuscrit autographe. Paris, collection particulière. 2 folios de musique (f. 2 v° blanc), papier oblong à 12 portées, 35 × 27 cm. Estampage losangé : « LARD ESNAULT / Paris / 25 RUE FEYDEAU ». La musique est notée recto-verso à l'encre noire avec des ajouts d'altérations au crayon à papier. Sur le folio 1 recto se trouve le titre noté : « l'Archet. / Paroles de Ch. Cros. / Musique. Ach. Debussy / A mon meilleur ami. Henry Kunkelmann. / Souvenir de nos. recherches. »

Sources secondaires

A1 : Paris, Bibliothèque nationale de France, département de la Musique, Ms. 20 632 (1), p. 71-66 (mélodie notée à l'envers dans le carnet). La musique est écrite soigneusement à l'encre noire avec le texte poétique de mesures 1 à 45. Les cinq dernières mesures manquent.

Figure également dans ce même carnet une première esquisse incomplète de *L'Archet*, sans le texte poétique, p. 75-72 (esquisse notée à l'envers dans le carnet). Ces deux versions sont reproduites en fac-similé dans l'article d'Yves Lado-Bordowski, « *L'Archet*. Un "croquis musical" de Debussy [1881] », *Cahiers Debussy*, n° 16 (1992), p. 6-11. Ces fac-similés sont accompagnés d'une transcription de la mélodie d'après A1 (p. 18-21).

LE MATELOT QUI TOMBE À L'EAU
Texte poétique

L : Maurice Bouchor, *Les Poëmes de l'amour et de la mer*, Paris, Charpentier et Cie, 1876, p. 14, poème III appartenant à la section « La Fleur des eaux ». De ce poème, Debussy ne met en musique que la dernière partie, les trois précédentes se composant de quatre tercets, et de deux fois trois quatrains, séparés par des fleurons. Le texte de L au vers 2 a été rétabli, non seulement pour le sens, mais aussi pour la rime (voir *infra*, Variantes du texte poétique, vers 2 et note 1). Le changement de texte au début du deuxième quatrain est délibéré dans A2, sans doute afin d'éviter la présence des « r » dans « entr'ouvre » (voir *infra*, Variantes du texte poétique, passage surligné en gras et note 2).

Texte musical
Source principale

A2 : Manuscrit autographe. Paris, collection particulière. 2 folios de musique (f. 2 v° blanc), papier à 12 portées, 27 × 35 cm. Estampage losangé : « LARD ESNAULT / Paris / 25 RUE FEYDEAU ». La musique est notée recto-verso à l'encre noire avec des ajouts d'altérations au crayon à papier. Sur le folio 1 recto se trouve le titre noté : « A mon bon ami Kunkelmann (1) / Le matelot qui tombe a l'eau. / poesie M. Bouchor. Musique Ach. Debussy / (1). Cette dédicace est la bonne. »

Sources secondaires

A1 : Paris, Bibliothèque nationale de France, département de la Musique, Ms. 20 632 (1), p. 32-33. La musique est notée soigneusement à l'encre noire avec le texte poétique. Seule la première et la dernière mesures de A2 n'y figurent pas. La partie vocale est notée en clé de *fa*. John R. Clevenger en a donné une transcription dans *The Origins of Debussy's Style*, Eastman School of Music/University of Rochester, 2002, p. 951-954.

Se trouve dans ce même carnet une première esquisse du *Matelot*, sans le texte poétique, p. 40-42, écrite au crayon noir. À la page 40, Debussy a également recopié le texte poétique.

ROMANCE
Texte poétique

L : Maurice Bouchor, *Les Poëmes de l'amour et de la mer*, Paris, Charpentier et Cie, 1876, p. 76-78, poème XXXVI appartenant à la section « La Fleur des eaux ». Du texte poétique de Bouchor, Debussy met en musique les premier, troisième et quatrième quatrains. Dans la notation des six premières mesures du carnet d'esquisses Ms. 20 632 (1), (p. 29) (voir *infra*, Texte musical, Sources secondaires et Variantes, p. 29), Debussy avait écrit « divin » puis avait corrigé en « vivant ». Nous suivons donc L ainsi que cette correction, afin d'éviter la répétition du mot « divin » dans le même vers.

Texte musical
Source principale

A2 : Manuscrit autographe. Paris, collection particulière. 2 folios de musique (f. 2 v° blanc), papier oblong à 12 portées, 35 × 27 cm. Estampage losangé : « LARD ESNAULT / Paris / 25 RUE FEYDEAU ». La musique est notée recto-verso à l'encre noire avec des ajouts d'altérations au crayon à papier. Sur le folio 1 recto se trouve le titre noté : « Romance / a Henry. / toute mon amitié et la / romance par dessus le marché. / Poesie Maurice Bouchor. Musique Ach. Debussy ».

Sources secondaires

A1 : Paris, Bibliothèque nationale de France, département de la Musique, Ms. 20 632 (1), p. 34-38. La musique est notée soigneusement à l'encre noire avec le texte poétique. La partie vocale est intégralement écrite. Seules les mesures 7-8, 11-12, 15-19, 23, 29-31, 42-43 de la partie de piano sont notées précisément. Les mesures 1-6, 9-10, 13 sont indiquées de manière abrégée. Les autres mesures sont blanches.
À la page 29 de Ms. 20 632 (1), figurent six mesures notées à l'encre, sans la partie piano avec une partie vocale différente (voir Variantes, p. 29). Il existe une deuxième esquisse au crayon noir et à l'encre noire avec une partie vocale différente de A1 dans Ms. 20 632 (1), p. 49-50, 52-54. Celle-ci débute comme celle de la page 29.

LES ELFES
Texte poétique

L : LECONTE DE LISLE, *Poèmes barbares*, Paris, Alphonse Lemerre, 1882, p. 100-102. Sixième édition de ce poème (la première édition fut publiée en 1855 dans les *Poëmes et Poésies* [Paris, Dentu, 1855]), elle fut achevée d'éditer fin 1881, bien que portant le millésime 1882. Debussy aurait pu également utiliser l'édition de Lemerre de 1878 qui ne présente pour ce poème aucune différence avec celle de 1882. Voir l'édition critique d'Edgard Pich, *Œuvres de Leconte de Lisle*, Paris, Les Belles Lettres, 1976, t. II. Debussy a supprimé treize vers du poème après le vers 21, ce qui rompt l'alternance des distiques et des sizains à la sixième strophe, celle-ci comportant neuf vers. Il a également enlevé le retour des deux vers « Couronnés de thym » après le vers 40.

Texte musical
Source principale

A : Manuscrit autographe. Paris, collection particulière. 6 folios de musique (f. 6 v° blanc), papier à 12 portées, 35 × 27 cm. Estampage losangé : « LARD ESNAULT / Paris / 25 RUE FEYDEAU ». La musique est notée recto-verso à l'encre noire. De nombreuses altérations ont été notées au crayon à papier puis réécrites à l'encre noire. Sur le folio 1 recto se trouve le titre noté : « à Henry. / Les Elfes / Poesie de Leconte de Lisle. Musique Ach. Debussy ».

Source secondaire

Le carnet Ms. 20 632 (1) contient plusieurs esquisses sommaires de cette mélodie notées à l'envers à l'encre noire : p. 65 (mes. 39-46), p. 53, p. 51 (mes. 98-106), p. 48-45 (mes. 113-148). Contrairement à *L'Archet* et au *Matelot qui tombe à l'eau*, il n'existe aucune mise au net de cette mélodie.

ÉTABLISSEMENT ET VARIANTES DU TEXTE POÉTIQUE

L'ARCHET (Charles Cros)

Elle avait de beaux cheveux, blonds[1]
Comme une moisson d'août, si longs
Qu'ils[2] lui tombaient jusqu'aux talons.

Elle avait une voix étrange,
Musicale, de fée ou d'ange,
Des yeux verts sous leur noire frange.[3]
•
Lui, ne craignait pas de rival,
Quand il traversait[4] mont ou val,
En l'emportant sur son cheval.
•
Mais[5] l'amour la prit si fort au cœur,
Que pour un sourire moqueur,
Il lui vint un mal de langueur.

Et[6] dans ses dernières caresses :
« Fais un archet avec mes tresses,
Pour charmer tes autres maîtresses. »

Puis, dans un long baiser nerveux,
Elle mourut. **Il fit selon** ses vœux.[7]
Il fit l'archet de ses cheveux.

---

[1] (mes. 9)   A1, A2 : « longs » ; OC comme L : « blonds »

[2] (mes. 12)   A1, A2 : « qui » ; OC comme L : « Qu'ils »

[3] (mes. 18-19)   A1, A2 : « leurs noires franges » ; OC comme L : « leur noire frange »

[4] (mes. 24)   A1 : « il l'emportait » biffé en « il traversait » comme dans L ; A2 : « en traversant » ; OC comme L et A1 : « il traversait »

[5] (mes. 29)   L : le vers débute par « L'amour » ; OC comme A1, A2 : « Mais l'amour » ; cet ajout du « Mais » par Debussy transforme le vers en ennéasyllabe au lieu de la forme octosyllabique choisie par Charles Cros

[6] (mes. 35)   A1, A2 : « Puis » ; OC comme L : « Et »

[7] (mes. 46-47)   L : « Suivant ses vœux, » ; OC comme A1, A2 : « Il fit selon ses vœux » ; la transformation de ce passage donne à nouveau un vers en ennéasyllabe au lieu de la forme octosyllabique choisie par Charles Cros

LE MATELOT QUI TOMBE À L'EAU (Maurice Bouchor)

On entend un chant sur l'eau
        Dans la brune[1] :
Ce doit être un matelot
Qui veut se jeter à l'eau
        Pour la lune.

La lune **éclaire**[2] le flot
        Qui sanglote,
Le matelot tombe à l'eau…
On entend traîner sur l'eau
        Quelques notes.

[1] (mes. 3)   A1, A2 : « brume » ; OC comme L et comme la copie du texte par Debussy dans Ms. 20 632 (1), p. 40 (voir *supra*, Texte musical, Sources secondaires) : « brune »

[2] (mes. 8)   L, A1, Ms. 20 632 (1), p. 40 : « entr'ouvre » ; OC comme A2 : « éclaire »

ROMANCE (Maurice Bouchor)

Non, les baisers d'amour n'éveillent point les morts !
Baise l'amour vivant[1] de ta lèvre divine ;
Et le dernier soupir que rendra ta poitrine
Ne sera point chargé d'inutiles remords.

On ne fait point l'amour dans le lit froid des morts !
On ne se cherche pas des yeux dans la nuit noire.
N'en crois pas là-dessus quelque ancienne histoire ;
Sous terre on n'a pas plus d'amour que de remords.

Viens, aime-moi d'amour, ne pensons pas[2] aux morts !
Ne montre pas le ciel de ta belle main blanche.
Cueilles-en les beaux fruits de l'amour, sur la branche
Où ne s'est pas glissé l'affreux ver du remords.

[1] (mes. 4-5)   A1, A2 : « divin » ; OC comme L : « vivant »

[2] (mes. 31)   A2 : « plus » ; OC comme L et A1 : « pas »

LES ELFES (Leconte de Lisle)

Couronnés de thym et de marjolaine,
Les Elfes joyeux dansent sur la plaine.

Du sentier des bois aux daims familier,
Sur un noir cheval, sort un chevalier.
Son éperon d'or brille en la nuit brune ;
Et, quand il traverse un rayon de lune,
On voit resplendir, d'un reflet changeant,
Sur sa chevelure un casque d'argent.

Couronnés de thym et de marjolaine,
Les Elfes joyeux dansent sur la plaine.

Ils l'entourent d'un essaim léger
Qui dans l'air muet[1] semble voltiger.
— Hardi chevalier, par la nuit sereine,
Où vas-tu si tard ? dit la jeune Reine.
De mauvais esprits hantent les forêts ;
Viens danser plutôt sur les gazons frais[2]. —

Couronnés de thym et de marjolaine,
Les Elfes joyeux dansent sur la plaine.

— Non ! ma fiancée aux yeux clairs et doux
M'attend, et demain nous serons époux.
Laissez-moi passer, Elfes des prairies. —
Et sous l'éperon le noir cheval part.
Il court, il bondit et va sans retard ;
Mais le chevalier frissonne et se penche ;
Il voit sur la route une forme blanche
Qui marche sans bruit et lui tend les bras :
— Elfe, esprit, démon, ne m'arrête pas ! —

Ne m'arrête pas, fantôme odieux !
Je vais épouser ma belle aux doux yeux.
— Ô mon cher époux[3], la tombe éternelle
Sera notre lit de noce, dit-elle.
Je suis morte ! — Et lui, la voyant ainsi,
D'angoisse et d'amour tombe mort aussi.

Couronnés de thym et de marjolaine,
Les Elfes joyeux dansent sur la plaine.

[1] (mes. 69)   A : « léger » ; OC comme L : « muet »

[2] (mes. 82)   A : le mot a été omis par Debussy

[3] (mes. 135-136)   A : « bien aimé » ; OC comme L : « époux »

VARIANTES, CORRECTIONS, REMARQUES

Mesure	Système	Variantes et remarques
L'ARCHET		
1	Voix, Piano	A1 : pas d'indication de tempo
2.1	Piano sup.	A1 : mi_5♮ ♩
3.3	Piano sup.	A1 : la_3 ♩ sans indication d'altération ; A2 : la_3♮ ♩ corrigé en sol_3 ♩ à l'encre noire que suit OC ; ♮ devant do_3 dans A1 seulement
4.3	Piano sup.	♮ devant sol_3 dans A2 seulement
5-6.1	Piano	A1 : [exemple musical]
5.4	Piano sup.	A2 : ♭ (redondant) devant la_3
7-12	Piano sup.	A1 : partie écrite à l'octave inf. sans indication de 8^a ---
9.2	Piano sup.	A1 : sol_4 - $ré_5$ - sol_5 (voir note précédente)
13	Voix	A1 : ♩. ; A2 : ♩ 𝄾 ▬ corrigé au crayon noir en ♩. 𝄾
13	Piano	A1 : [exemple musical]
14-16	Voix, Piano	A1 : pas de ♭ devant les $ré$
14.1	Piano sup.	A1 : $ré_4$ - fa_4 - la_4♭
15	Piano sup.	A1 : [exemple musical]
18.1	Piano	A1 : pas de ♮ devant la_2 et la_3
19.1-3	Voix	⌣ dans A1 seulement
19.1-3	Piano sup.	A1 : pas de ⌢ entre les deux accords
19.1-2	Piano inf.	A1 : la_2[♮] - mi_3♮ - la_3♮ sur temps 1 ; ♮ devant mi_3 et la_3 dans A1 seulement
20.1	–	A1 : pas d'indication de changement de tempo
20.3-21	Voix	A1 : [exemple musical] pas— de ri - val · en doublure ave la partie de Piano
20, 22/1	Piano sup.	A1 : do_4 - la_4
24.1	Piano sup.	♮ devant si_3 4e ♪ dans A1 seulement
24-25	Piano inf.	A1 : pas de ⟨⟩
27	Piano	A1 : si_3[♮] - $ré_4$ - fa_4 - la_4 o
29.1-2	Piano	A1 : [exemple musical]
31.4	Voix	A1 : ♪ ♪ sans ⌢

28

Mesure	Système	Variantes et remarques
31.3	Piano sup.	A1 : do_4 - fa_4 - la_4[♮]
31.4	Piano sup.	A1 : ♩
32, 34/1	Voix	A1 : 𝅝
34.1	Piano	A1 :

Mesure	Système	Variantes et remarques
35, 37	Piano sup.	A1 :

Mesure	Système	Variantes et remarques
35, 37	Piano inf.	A1 : pas de fa_4 𝅝 ni de ♭ devant sol_3
36.1-3	Voix	⌣ dans A1 seulement
36.1	Piano sup.	A1 :

Mesure	Système	Variantes et remarques
38.1	Piano inf.	A1 : pas de fa_3 ♩
38.2-4	Piano sup.	A1 : pas si_3♭ - $ré_4$ sur temps 2 et 4
39, 41/2-4	Piano sup.	A1 : pas mi_4♭ ♩ ♩
41.1	**Piano sup.**	A1 : ♮ devant la_3 et mi_4 ; A2 : ♮ devant mi_4 ; OC propose de corriger en ♭ par analogie avec mes. 39, le ♮ ayant sans doute été placé par erreur devant mi_4 au lieu de la_4 dans A1, erreur qui s'est peut-être reproduite lors de la mise au net de A2
42	Piano sup.	A1 : pas de ♮ devant les la_3 et les la_4 et ♪♪♩ (temps 2 et 4)
44.3	Piano inf.	A2 : ♭ (redondant) devant $ré_3$
44-45	Voix, Piano	A1 (le manuscrit s'arrête à mes. 45) :

Mesure	Système	Variantes et remarques
		LE MATELOT QUI TOMBE À L'EAU
1-15		A1 commence directement à la mes. 2 de A2, donc sans la mesure introductive au piano et sans indication de mouvement, et se termine mes. 14 ; A1 possède une armure avec cinq ♯ au lieu de six dans A2
2-14	Voix	A1 : partie notée en 𝄢
2-15	Piano	A1 : bien que marquée à $\frac{4}{4}$, la partie est souvent notée à $\frac{12}{8}$ et ne comporte pas d'indication de ⌢ ; A2 note le plus souvent la partie de piano à $\frac{4}{4}$, mais laisse des traces du $\frac{12}{8}$, notamment à mes. 10, où tous les accords en ♩ sont notés ♩.
3.7-10	Voix	⌢ dans A1 seulement
5.2	Piano inf.	A1 : $ré_3$[♮] - mi_3[♮] 7ᵉ ♪
6.1	Piano	A1 : pas de ♮ devant $ré_4$ et $ré_5$
7	Piano sup.	A1 : pas de mi♯ à la clé (voir *supra* mes. 1) ni de mi_5 ; A2 : pas d'indication de ♮ devant mi_4 et mi_5 ; toutefois, la présence d'un ♮ devant mi_4 à mes. 6 semble indiquer que Debussy pensait que les mi qui suivent (ceux du 1ᵉʳ temps de mes. 7 au 1ᵉʳ temps de mes. 8) devaient être également ♮ ; l'ajout d'un ♯ devant mi_5 au 2ᵉ temps de mes. 8 le confirme
7.4	Piano sup.	A1 : pas de ⌢
8.1	Piano sup.	♮ devant mi_5 dans A1 seulement
8.3-4	**Piano**	8ᵃ - - - dans A1 seulement ; l'absence de ce changement d'octave qui apporte une couleur différente sur le mot « éclaire le flot » est peut-être un oubli dans A2, lors de la copie de la version définitive
9.7-10	Voix	⌣ dans A1 seulement
11	Voix	A1 : ♩. 𝄾♪ 𝄾♪ 𝄾♪
14	Piano sup.	A1 : pas de mi_5

Mesure	Système	Variantes et remarques
14.1	Piano inf.	A1 : fa_1♯ - do_2♯ - do_3♯ - do_4♯

ROMANCE

Mesure	Système	Variantes et remarques
1-6	Voix	Ms. 20 632 (1), p. 29 : six premières mesures de la partie vocale notées sans accompagnement de piano avec une ligne mélodique différente de A1, A2 :

3, 13, 32	Voix	A1 : 𝅗𝅥.
5, 34/2	Voix	A1 : sol_4♮ 2e ♪
7.1	Piano inf.	A1 : si_1♭ - si_2♭ 𝅗𝅥
8.2	Voix, Piano	A2 : pas de ♮ devant les *do*
10	Voix	A2 : si_4♭ 𝅗𝅥 la_4♮ 𝅗𝅥 biffé et corrigé en si_4♭ 𝅗𝅥 la_4♮ 𝅗𝅥
11.1	Voix	♭ devant la_4 dans A1 seulement
11-12	Piano	A1 :

15-18/1-2	Piano sup.	A1 : pas de ‿
18	Piano inf.	A1 : fa_2 𝅘𝅥.
23.1-2	Voix	A1 : $ré_5$[♮] ♪ $ré_5$♮ ♪ $ré_5$ ♪ biffés et corrigés en la_4♮ ♪ la_4 ♪ la_4 ♪
23.2	Piano inf.	A1 : 𝅘𝅥𝅘𝅥𝅘𝅥 ; A2 : 𝅘𝅥𝅘𝅥𝅘𝅥 avec un . à la 1ère ♪ ; OC suit A1, leçon confirmée également à mes. 25 dans A2 (cette mes. n'est pas notée dans A1) ; cette notation rythmique se retrouve également dans une première ébauche (Ms. 20 632 (1), p. 52-53)

Mesure	Système	Variantes et remarques
26.1	Voix	A1 : pas de ♮ devant la_4
29.2-3	Voix	A1 : 𝅗𝅥. [*sic*]
29	Piano	A1 :

30.1-2	Piano inf.	A1 : si_1♭ - si_2♭ 𝅗𝅥 (temps 1) et $ré_4$[♭] 𝅗𝅥 (temps 2)
31	Piano sup.	A1 : fa_4 𝅗𝅥.
32.2	Piano inf.	A2 : ♮ devant sol_3 biffé
33.3-34.1	Voix	A1 : fa_5 2e ♪ | do_5 1ère ♪ biffés et corrigés en do_5 2e ♪ | fa_5 1ère ♪
34.1-2	Piano sup.	A2 : 2 la_3 [♭] biffés et corrigés en 2 fa_3
37.2	Voix	A1 : pas de ♮ devant do_5
41.2	Voix	A1 : si_4♭ ; A2 : notation ambiguë, apparemment do_5♭ corrigé en si_4♭, à moins que ce ne soit l'inverse ; OC suit A1
42.1-2	Voix	A1 : 𝅘𝅥 𝄾 ; A2 : 𝅘𝅥 𝄾 corrigé en 𝅗𝅥

LES ELFES

Mesure	Système	Variantes et remarques
9	Piano sup.	A : si_5♮ 𝅗𝅥 que OC corrige en 𝅘𝅥 𝄾 par analogie avec mes. 6, 8 et 10
11.2	Piano sup.	A : ♭ devant la_5 4e ♪ que OC supprime pour le déplacer devant la_5 ♭ qui précède, et indication « ♭, ♭ » au crayon noir au-dessus des deux dernières doubles croches
13.2	Piano sup.	A : ♮ devant la_5 3e ♪ ; OC restitue mi_5♮ ♭ par analogie avec mes. 17
15.2	Piano sup.	A : ♭ (redondant) devant la_4 4e ♪
16.2	Piano sup.	A : ♯ (redondant) devant fa_4 4e ♪

Mesure	Système	Variantes et remarques
16.2	Piano inf.	A : ♮ devant *ré₃* ♪ que OC corrige en ♯ par analogie avec mes. 12
17.2	Piano sup.	A : ♮ devant *mi₄* 4ᵉ ♪ que OC supprime pour le déplacer devant *mi₄* ♪ qui précède
21	Piano	A : ♪ ↳ ↳ ♪ ↳ ↳ ; le motif avec les trois ♪ précédées d'une petite note semble avoir été ajoutée après, ce qui explique la notation redondante des silences que OC simplifie ; le ♯ devant *fa₃* (temps 1) est noté sur la portée inf. au crayon noir puis réécrit à l'encre
25.1	Piano sup.	A : ♮ devant *sol₃* et ♭ (redondants) devant *si₃* et *mi₄*
29.2	Piano inf.	A : *fa₄*♮ - *la₄*♭ 3ᵉ ♪ que OC corrige en *mi₄*♯ - *sol₄*♯ en raison de l'écriture de la m.d. et par analogie avec mes. 61 ; A : ♯ corrigé en ♮ devant *mi₄* 4ᵉ ♪
32.1	Voix, Piano sup.	A : *ré₅*♭ 2ᵉ ♪ (Voix), *fa₃*♮ - *la₃*- (m.g.) et *do₄*♭ - *ré₄*♮ [*sic* pour ♭] (m.d.) 2ᵉ ♪ que OC corrige en *do₅*♯ (Voix), *mi₃*♯ - *sol₃*♯ (m.g.) et *si₃*♮ - *do₄*♯ (m.d.) par analogie avec mes. 61, 95 (Voix), 167 (Voix) ; A : ♯ corrigé en ♮ devant *mi₄* 4ᵉ ♪
34.1	Voix	A : hampe de croche à *sol₅* omise
36.2	Piano inf.	A : hampe de croche à *si₃* omise
37	Piano inf.	A : *fa₃* ♪ corrigé en huit ♪ *fa₃* - *si₃*♭
38.2	Piano sup.	A : ♯ devant *do₄* 2ᵉ ♪
40.1	Piano sup.	A : ♮ devant *ré₄* ♪
44.1	Voix	A : *si₄*♭ 1ʳᵉ ♪ corrigée en *ré₅* ♪
50.1	Voix	A : ♮ devant *ré₅* 3ᵉ ♪
54.1	Piano sup.	A : ♮ placé devant *ré₄* 1ʳᵉ ♪ que OC déplace au *mi₄* 2ᵉ ♪
55.1, 2	Piano sup.	A : ↳2ᵉ moitié de temps 1 et 2 au lieu de ↳
55.1	Piano inf.	A : hampe de croche à *sol₁* - *sol₂* omise
66.2	Piano	A : ↳ ↳ (m.d.) ♪ ↳ (m.g.) ; OC supprime le ↳ à la m.d. et corrige la m.g. en ♪ ↳
71.2	Piano sup.	A : ♮ devant *la₄* 1ʳᵉ ♪ ; ↳ suivi de 3 ♪ que OC corrige en ↳ suivi de 3 ♪ par analogie avec le 2ᵉ temps de mes. 72
72.1	Piano sup.	A : *fa₄*[♯] ♩ dont OC ne tient pas compte car déjà présent dans les accords de la m.g.
72.2	Piano sup.	A : ↳ que OC corrige en ↳
73.1	Voix	A : ♮ devant *la₄* 1ʳᵉ ♪
73.1	Piano sup.	A : ♮ devant *ré₄* 2ᵉ ♪
73.2	Piano inf.	A : *si₂* ♩ que OC supprime à la suite de l'ajout d'un motif au crayon noir (♫♪), identique à la m.d., motif également présent à la m.g. au 2ᵉ temps des mes. 74 et 75
79-82	**Piano**	A : ♮ devant *mi₅* (temps 1 de mes. 79) ; OC propose d'y substituer un ♭ et suggère que les *mi* soient ♮ à mes. 80 (par analogie avec mes. 78) et ♭ à mes. 81, conformément à la partie vocale
81.2	Voix	A : ♭ (redondant) devant *mi₄*
88.2-89.2	Piano inf.	A : pas de signe d'altérations devant les *ré₃* que OC restitue par analogie avec mes. 57-58 et 160-161
90-97	**Piano**	A : mesures vides que OC comble en reprenant les mes. 27-34 ; la restitution des mes. 96-97 pourraient également suivre les mes. 65-66 qui sont légèrement différentes des mes. 33-34
102.1	Piano sup.	A : *sol₄*[♯] - *si₄*[♮] ♪ que OC corrige en ♪ à cause de l'écriture du Piano inf.

Mesure	Système	Variantes et remarques
109.2	Piano sup.	A : ♯ (redondant) devant $ré_5$
117.1	Piano inf.	A : 𝆏 que OC corrige en ♭ par analogie avec les mes. 118-120
117.2	Piano inf.	A : mi_4[♭] - mi_5[♭] que OC corrige en do_4 - do_5 pour des raisons harmoniques et par analogie avec le mouvement des mes. 118-120
124.1	Voix	A : 𝄾· que OC corrige en 𝄾·
124.2	Voix	A : ♭ (redondant) devant la_6
126.1	Piano sup.	♯ devant la_5 2ᵉ ♭ dans Ms. 20 632 (1), p. 47 seulement
127.2	Piano inf.	A : fa_3 ♯ ♭ ♭, barrés et corrigés en fa_3 ♯ ♭
129.1	Piano sup.	A : ♭ (redondant) devant mi_4 ; ♯ devant fa_4 à la 2ᵉ ♭ que OC supprime pour le déplacer devant fa_4 1ᵉʳᵉ ♪
129.2	Piano inf.	A : do_4 - mi_4[♭] - la_4 2ᵉ ♪. ; OC supprime le do_4 par analogie avec l'écriture des ♪. précédentes
130.1	Piano sup.	A : hampe de croche omise à do_5 - $ré_5$ ♯ 2ᵉ ♭
140	Voix, Piano	A : ⌢ au-dessus de la_4 ♪. que OC supprime pour le

Mesure	Système	Variantes et remarques
		déplacer au-dessus de $ré_4$ ♯ ♩, ce qui correspond à l'emplacement du ⌢ au Piano ; dans ce passage libre, un demi-temps manque ; OC propose d'ajouter une barre de mesure et un autre 𝄾 (Voix)
150	Piano inf.	A : do_2 2ᵉ ♪ do_1 ♩ ajoutés au crayon noir
151.2	Piano sup.	A : ♭ (redondant) devant si_5
153.2	Piano inf.	A : $ré_3$ ♭ ♪ ⌣ ♪ (m.d.) $ré_2$ ♭ 𝆏 ⌣ ♭ (m.g.) que OC corrige en $ré_3$ ♭ ♪ et $ré_2$ ♭ ♭
159-160	Piano	A : accords écrits sur la portée du bas avec une 𝄞 et motif 𝄾 ♭ notés sur la même portée qu'il faut lire en 𝄢
160.2		A : fa_3 - do_4 - fa_4 - la_4 que OC corrige en la_3 - do_4 - fa_4 - la_4 par analogie avec les accords à l'octave qui précèdent
163-168	**Piano**	A : mes. vides que OC comble en reprenant les mes. 27-32 ; voir note 90-97

également aux Éditions DURAND

ŒUVRES COMPLÈTES DE CLAUDE DEBUSSY

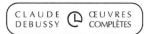

nouvelle édition critique
de l'intégrale de l'œuvre répartie en six séries

Volumes reliés pleine toile sous jaquette illustrée, format 230 × 310 mm.

Édition musicologique, textes de présentation bilingues (français-anglais) : avant-propos (chronologie des œuvres), bibliographie sélective, notes critiques (description des sources), variantes, appendices et fac-similés.

SÉRIE I : ŒUVRES POUR PIANO

Volume 1
Danse bohémienne
Danse (Tarentelle styrienne)
Ballade (Ballade slave)
Valse romantique
Suite bergamasque
Rêverie
Mazurka
Deux Arabesques
Nocturne

Volume 2
Images (1894)
Pour le piano
Children's corner

Volume 3
Estampes
D'un cahier d'esquisses
Masques
L'Isle joyeuse
Images (1re Série)
Images (2e Série)

Volume 4
Morceau de concours (Musica)
The little Nigar
Hommage à Haydn
La plus que lente
La Boîte à joujoux
Six Épigraphes antiques
Berceuse héroïque
Pour l'Œuvre du « Vêtement du blessé »
Élégie
Les Soirs illuminés par l'ardeur du charbon
Intermède

Volume 5
Préludes (1er Livre)
Préludes (2e Livre)

Volume 6
Études

Volume 7
Œuvres pour piano à 4 mains
Symphonie
Andante cantabile
Ouverture Diane
Triomphe de Bacchus
Intermezzo
L'Enfant prodigue
Divertissement
Printemps

Volume 8
Œuvres pour deux pianos
Prélude à l'après-midi d'un faune
Lindaraja
En blanc et noir

Volume 9
Œuvres pour piano à 4 mains
Première Suite d'orchestre
Petite Suite
Marche écossaise
La Mer
Six Épigraphes antiques
Deux Danses
(réduction pour deux pianos)